P9-CLH-579

David Rosenmann-Taub

Jornadas

Lom
PALABRA DE LA LENGUA
YÁMANA QUE SIGNIFICA
Sol

Rosenmann-Taub, David 1927-
Jornadas [texto impreso] / David Rosenmann-Taub .–
1ª ed. – Santiago: LOM ediciones, 2018.
190 p.: 21 x 16 cm. (Colección Entremares).

ISBN: 978-956-00-1034-6

1. Poesías chilenas I. Título. II. Serie.

Dewey: Ch861.– cdd 21
Cutter: R814j

FUENTE: Agencia Catalográfica Chilena

Primera edición, marzo 2018
Impreso en 1.000 ejemplares

ISBN: 978-956-00-1034-6

Motivo de la portada y cuatro ilustraciones interiores: David Rosenmann-Taub.

DISEÑO, EDICIÓN Y COMPOSICIÓN
LOM ediciones. Concha y Toro 23, Santiago
TELÉFONO: (56-2) 2860 68 00
lom@lom.cl | *www.lom.cl*

Tipografía: *Karmina*

REGISTRO Nº: 103.018

IMPRESO EN LOS TALLERES DE LOM
Miguel de Atero 2888, Quinta Normal

Impreso en Santiago de Chile

David Rosenmann-Taub

Jornadas

CUADERNO

1962

a Dinora

I

FELICIDAD

La puerta
flojamente entreabierta. La paloma
penetró. La paloma,
ras sobre la bandeja.

En la blanquísima taza picoteó,
blanquísima,
unos instantes,
en la taza vacía picoteaba blanquísima.

¿Dócil? ¿Ebria? ¿Saciada?
Voló de muro a muro,
no afufó por la puerta
– sello ahora adjutor –, no sé por dónde,

no la vi, sí la vi.

II

ARNINGO

Persistes
y mis pulsos
arraigan a tu lado, velándote:
de intrusa geografía tus países
sutiles: viajas, viajas:
¿las decisiones de tu muerte?: nada
deso, por el contrario;
pero aquella palanca se aquietó,
pertinaz,
y te obligó a otro mundo.

Baba – brío grisáceo – resbala hacia tus palmas
– copa –: unidas,
la toleran, ajenas.
Tus ojos – proas – orzan:
¿a ciencia cierta qué
sendero terco?

Yaces arrodillado de pie, tal conformándote,
perpetuo, sin aldabas.
Opacidades lívidas, truhanes,
hienden
hondo.

¿Me perdona
mis lágrimas
tu selva?

Derribaste el enigma,
sin cumplir
con letargo medroso:
trémulo:
ficticia senectud de lagarto exprimido:
tronchado pimentero,
o mosquito ensogado en un pastel.

Que le arropen el lomo
y que no se adormezca.
Perversa, la llovizna . . .:
llévenle el corazón de mi pesebre,
el hogar desos árboles,
el cojín
desas nubes.

Chao, muchacho nave.
Chao, postigo en ruinas.
Volveré cuando el tiempo
se ilumine.
Si tu laxa alegría se endereza,
te daré
dulces,
cucañas,
un bonito
guarapón.

Acuérdate:
quien sueña,
nunca despierta

de verdad.
Para despertar de veras,
no soñar.

¡Prométeme, muchacho:
me tenderás las manos
y con tus fidedignos ojos señalarás
cómo empieza la luna a lamer los tejados!

III

CONCIENCIA CON CUERPO

Esa tertulia tiene bostezo,
ese olor tiene jazmín,
ese agujero tiene nicho,
y la vida me tiene a mí.

Ese pliegue tiene bravura,
esa pureza tiene embestir,
ese cansancio tiene hombre,
y la vida me tiene a mí.

Ese chirrido tiene tráquea,
esa gangrena tiene sanedrín,
ese arrebol tiene torbellino,
y la vida me tiene a mí.

Desamparada niebla,
¿codicias indulgir?
¿Con liquen de sepulcro
vas a engendrarme a mí?

Esa fragua tiene limosna,
esa nostalgia tiene cenit,
ese crúor tiene acequia,
y la vida me tiene a mí.

Ese palor tiene mejilla,
esa violencia tiene reptil,
esa carcoma tiene purgatorio,
y la vida me tiene a mí.

Esa poda tiene cerrojo,
ese cuajo tiene cerviz,
mazmorra tiene ese barrote,
y la vida me tiene a mí.

Rebulle, bírlate, culpable roncha,
¿quieres dejar de rugir?
Con este vástago de poesía
voy a engendrarme a mí.

Esa minucia tiene estrella,
ese trofeo tiene meretriz,
ese alborozo tiene alero,
y la vida me tiene a mí.

Ese fango tiene capullo,
esa ira tiene mastín,
esa náusea tiene cielo,
y la vida me tiene a mí.

Esa ilusión tiene academia,
esa égida tiene cicatriz,
ese mutismo tiene mortaja,
y la vida me tiene a mí.

Paraíso de la penuria,
tienes la fuente del gemir;
gemir, tienes a la vida;
vida, me tienes a mí.

Y yo tengo la luz de un día,
un sagaz día que viví:
la placidez hiló su espuma:
en la espuma me sumergí.
¡Y yo tengo la luz de un día!

IV

EL RAUDAL

Yo canto como el sol,
y el sol no canta.

Yo amo como Dios,
y Dios no ama.

Yo, cual la tierra, muero,
y la tierra no muere, pero canta.

ANUNCIACIÓN

1941-1942

I

Ágil, clara, se recuesta
en el diván de la higuera.

Ceniza
tras la ceniza.

Berro acérrimo
se apodera de su pecho.

¿Rancios lutos
vigilarán su murmullo?

Se adarga – lo matutino –:
flautaviolín de granizo.

«¿Ese espejo que me observa
sabrá que a nadie refleja?»

Ágil, clara,
jaranea telarañas.

Lenta prisa
la desmiga.

II

El eco abate
lápidas,
nupcias,
fardos,
pupitres, riñas, nombres,
atisbos, espirales,
cofres,
bloques.

Entre las humaredas que el silencio reparte,
el crepúsculo,
firme,
custodia
las insidias
de una flor – tolvanera del estío –,
los émbolos
supremos.

Taladro los celajes.
¿Hojarascas porfiadas?
Escondidos pensiles,
vahos, dogmas.
¿Afables pasajeros
de lo oscuro?
¿Potencia
– chispa – herida?

Jauja de realidad, los alambrados
me traen crisantemos:
pómulos
o jolgorios:
nudos plenos de asaltos:
almas plenas de grietas:
etcéteras sufrientes:
tesoro que se cierra:
la ciudad de mis sienes.

Ventanales de pálidos visillos,
me contemplan mis padres.
Tenebrosas
piltrafas
irritan
la garúa
de mi breña:
se levantan
mis huesos,

cogen los edredones del sol y los avientan.

III

«Ceñir.»

Cardumen, risco intrépido,
de garfios,
en la misericordia
del devastado imperio
de un ciprés,
en la constancia de unos rayos:
lezna

de clamor:
«Cuando erraban febriles
hierbas,
sobre mí
descendía
sésamo
de pantuflas.

Suaves raptos
añejos,
vellocinos que fuisteis
abolengo
de caricias,
volved,
pronto, volved.»

Postrer
présbita
columna
sediciosa . . .
¡Oh
lázaro
muñón!

IV

Chubascos y piruetas

de alquerías,
cargamento de golpes,
huellas,
cínifes,

bizarras cobardías,
humildes
cornucopias: regalías
que ocultan sus efigies:

balcones del espacio inescrutable:
desafíos que danzan – cascabeles –,
engullendo terrores:

sarpullidos: donaires
de vorágine azar: nimbos silvestres
protozoarios contra los azotes:

¿esforzados androides
de mástiles
pletóricos y trotes,
o festines

de la siembra falaz? ¡Tedios galeotes!
Coraza de trajines,
ayúdame a moler estos garrotes
de jaleosos títeres

en necio derrotero.
Adivinadme, mágicas planicies
infieles: capturad al hacejero:

socorred mi aventura: gemas, diques.
¡Gurruminotarugocompañero,
evádeme! ¡Fogata de arrecifes,

atrás! ¡Atrás, vagones!
¡Friccionadme,
miriñaques de agobio y de regreso!
¡Perseveradme, océanos de látigos!

¡Bóvedas, ante el cáliz, de regreso!
Placentas, tabernáculos,
oreos,
fibras, ombligos, llaves, aledaños,

tiernas jofainas, diáfanas lujurias,
negligencias de naipes,
icor fetal de rosas,

alcoba de organdí, sorda patrulla
de mis uñas,
sonámbulas edades,

¡no trituréis las losas!

V

Firmamento: la luz se desmorona:
¡una brecha!: aljerife,
cuidaré las convulsas
aterecidas yescas:
hábil sátrapa
del cauce de la aurora.

Resplandeced, pavesas:
tumba
que sedujo apogeos. ¿Olvidarme?
¡Huésped centellador! ¿Sumisión? ¡Imposible!
Combatirán por dentro de lo dentro
mis declives.

Oh protegido de las tempestades,
en la playa sin playa,
trascendiendo.

VI

Jovial púrpura.
¿Briznas?
¡Clanes míos!
Estancia
mecedora
de las formas
sencillas.

El brasero, engreído
con el chal de mamá.
Cuán coqueta la lluvia.
Yelmo estricto,
la empalizada, amarga,
me invitará a exiliar.

VII

Deslizándome
hasta el secreto barrio abandonado.
Mermas:
mi calle, mi vereda,
la plomiza fachada de mi casa.
Lajda y Ester, umbrales del umbral,
vibran.
Tras los tabiques, más,
en la revuelta
cama, reposan
– tímidas,
amigas,
vespertinas –
horriblemente largo mis hermanas:
corre, corre el anillo.
¿Me dirás, Lajda: «Toma
estas frutas radiantes . . .»?
No,
tómalas tú:
sus sabores se angustian por ser tuyos.
Ester, dame tus islas:
el alba se detiene,
sorprendida, en mi rostro:
corre el anillo: cae musgo
flavo
sobre los aletazos del poniente.
Lajda y Ester, erguidas,
chocan con mi crespón.
El fatigado umbral huye a la plaza,

se sube a las banquetas,
hurguetea los quioscos, la laguna.
Lo persigo:
juguemos juntos, ven,
aunque sollozos
– corre el anillo –, un halo
de mamá en la cocina,
de papá en el buró, sacando cuentas,
de papá con nosotros en sus hombros:
«que no me apresas»,
«¡a que sí!»;
fértil umbral, recógeme:
donde Lajda y Ester ríen y gritan,
donde aerolitos – toronjil –,
donde mamá – cien pétalos:
corre, corre el anillo –,
donde juega la noche con jilgueros,
donde mamá en el piano: ¡umbral!: ¿mañana
sucederá mañana?: zancos,
baraúndas:
umbral de umbrales náufragos,
juguemos:
corres, corres, anillo,
¿lasitud?,
te vas perdiendo, corres despacito,
me cuchicheas . . .
¿dónde? . . .

REFUGIO

1935-1936

I

Hijo, estoy contigo.
El cristal de la brisa.

Madre, ¿estarás conmigo?
Hijo, ¿me borrarás?

El cristal de la brisa.
Te adoro tánto.

Madre, estoy contigo.
Hijo, ¡el cristal!

II

Mis ráfagas, certeras:
«Otórganos la tierra.»

III

Me abriga con la manta,
pero me quiere ver.

¿De quién, raro durazno?
¿De quién, raro clavel?

Me descubre y me cubre
la dicha de mi piel.

*
* *

¿De quién, puntual pimpollo,
en el amanecer?

IV

Te he entregado mi seno:
mi sístole te sirve de simple abecedario:
y zumbas en mi aliento
como en la vieja escuela siluetas en el patio.

V

«¡*Mira!*», mamá, muy triste,
mostrándome las cruces.
(El polvo se resigna
en la fe de la tarde.)
«¡Mira, mamá!», muy libre,
satisfecho, mi empaque.
(En la noria se agitan
procesiones azules.)

VI

Hijo mío,
me coloqué a la orilla
del camino.

Bajo tu delantal – desharrapado, sucio –
sostenías
arrullos.

VII

Te llevas a los labios
una cereza y ríes.

Te llevo en el regazo,
mar sin límites.

VIII

En tus pestañas baila el horizonte.
Sobre tus párpados, estepas.

En tus pupilas tascan turbaciones:
bueyes absortos en la arena.

IX

Mi niño,
carnaval exhausto, tiemblas.
Te apaciguo:
primavera.

X

¡Cinco!
¿Dedos?
¡Jacintos!

¡Uno!
¡Silfo
desnudo!

XI

Has comprado mil bultos: en tu ofrenda
te premias:

castillos y collares y parques y corcel.
Y, sólo para mí, pícaro carrusel.

Arrímate a huronear lo que he traído,
íntimo, en los bolsillos de mi gabán zurcido,

para ti, ¡para ti!: por dignas y por bellas,
astucia de mi entraña, las estrellas.

XII

El mimado se escapaba
de la tinaja.

. . . Con qué algazara
rutila al agua.

XIII

¿Brindando rezongo?
Poquito y mucho.

Duende riguroso . . .
Romboide cubo.

XIV

¿Fastidiaste la frente que te acompaña?
Ella me anhela.

Accédete: la enjundia de la cabaña
te suplica vestigios de tu cosecha.

XV

En la mesa hay un vaso
para mi rey.
En el vaso hay comarcas
para mi rey.

Bebe, papá, en mi vaso,
pues soy el rey.
Bebe, mamá, en mi vaso,
pues soy el rey.

Bebamos, sí, bebamos,
todos, en él.
Fulge el vaso y la mesa
fulge también.

XVI

Óyeme: no llorarás.
Vendaval mío: escarmienta.
Jirón de fronda contenta:
una espínula, nomás.

XVII

¿Acechando el empireuma?
Aprendo lo que aprendieras:

labro, sobre este arestín,
el porvenir.

XVIII

Oh colmenas:
mis faenas.
Hortelano
de mis venas.

Del leñador:
su esmeralda.
Padre mío, tu calor,
en mi espalda.

Tu latir, recio, cercano.

XIX

Papá, ¿tú no eres Dios?
No lo soy, hijo mío.

¿Quizá soy Dios?
Hijo mío, lo eres.

Entonces, papá, bésame.
Siempre, siempre, hijo mío.

XX

¿Estás, madre, conmigo?
La brisa del cristal.

Madre, ¿estaré contigo?
La brisa del cristal.

Te adoro tánto.
La brisa del cristal.

¿Omisión? ¿Y tu sangre?
¡La brisa y el cristal!

LIMPIEZA

12-VIII-1959

Me creció la paciencia.
De pronto, rara urgencia
me ordenó: «¡Aprende! ¡Aprende!»
Decidí visitar a mi maestro Allende.
¿Cuándo? «Ahora.»

– Don Humberto,
¿por qué se esconde y llora?
– Porque Dios nació muerto.

AL REY, SU TRONO

1983

BET

En esta entelequia sin entusiasmo ante nuestro (¿nuestro?) aparecer, e imperturbable ante nuestro (¿nuestro?) desaparecer: forasteros.

Mis progenitores y los de Nahúm Kamenetzky: de nopatria: Polonia. En consecuencia: Nahúm y yo, retoños de fugitivos.

Nahúm y mi madre nacieron en Varsovia, casi a un tiempo, en 1901.

*
* *

Mientras giro – de Venecia a Bruselas, de Londres a Brujas, de San Pablo a Nueva York, de Ámsterdam a Santiago de Chile –, Nahúm, en Buenos Aires, gira – de la silla incólume al armario, del armario a la silla desvencijada –.

*
* *

Una colaboración natural.

I

No sale de su casa la verdad,
ni recibe visitas.

II

Ídolos de antaño
y egregios de hogaño:
del mismo rebaño.

III

Piadoso padre eterno:
el edén germinaste – sucursal –
en el infierno.

IV

Jeová y el Demonio: ¿matrimonio?

V

Cianuro
y un candado.
Mi comienzo: lo juro.

*
* *

El campo. El enrejado.

VI

¿Julepes, deidad? Nadie.
Constándole que existes,
atea sed rebosa
tu inexistencia. Crédula
sed alza tu existencia,
sabiendo que no existes.

VII

Desentiérrate.

*
* *

¡Hurra!

VIII

A la perenne noche te prefiero,
fugaz polimatía:
el ántrax de la nada creó los multiversos.

IX

¿Quién lavará, humanidad,
tu pañal?

X

Felpudo ufano
– solícito tambor de los desiertos –:
benévolo
para el nefasto.

XI

Heme nimio furor en las neuronas.
Una vez más, omniscia obra,
te falta y sobra.

*
* *

¿Expeditas dragonas?

XII

«Vómitos, espadas:
un cuento de hadas.»

Porque os amo, semejantes,
os acaricio con guantes.

XIII

Historia.
¿Memoria?

XIV

Un ciego aúlla
para limar sus penas.
Otro ciego le escucha.
¡Horas amenas!

XV

El día de la resurrección
habrá rebeldes.

XVI

Aquí descansa en guerra el noble orangután
padre del padre Adán.

XVII

Cuando yo sea humano,
Dios será divino.

Cuando yo sea humano . . .

XVIII

La novela de Dios:
hoja
con
sombra roja.

XIX

Ve a tu carnal morada:
punza
lo que en el globo pasa.

XX

Templo:
quimera a la deriva.

XXI

Insondables, tus brazos, Jesucristo:
    cómo palpar tus manos.
Y cómo ver tus ojos: ¡tan enormes!

XXII

«Te aproximarás, Caín,
con una piedra sin fin.»

XXIII

La vida: ¿vacía posfilosofía?

XXIV

Al rey, su trono:
su culo, al mono.

XXV

Yunque sin martillo:
yunque sin brillo.
La bagatela alcanza
la esperanza.

XXVI

Charca
mulsa.
Suelo.
Jarro.

Langolilango impolutas
fruslerías prostitutas.

Langolilengo las zarpas
de los granujas ocupan
lengolilango los cuerpos
de los santos.

XXVII

La montaña es su abismo.

XXVIII

Bien afilada, muerte:
por gris, por laberinto,
por huracán, por siempre,
cortas tu propio filo.

XXIX

Tablón, no;
plato, tampoco;
ni hostil bocado,
ni estómago.

XXX

Me salva, cordura,
tu vasta locura.

Me salva, cordura . . .

XXXI

Según el buitre, Dios trina;
según el tigre, Dios croa;
según tú, Dios trina y croa.

XXXII

(Erectos ramajes)
leidi contrición
y mesié perdón
(lienzos celestiales)
adúlteros son.

XXXIII

Ecuménica curva: ancianidad.

XXXIV

Ésta *su* maldición:
Que rastres avellanas
y sólo halles zafiros.

*
* *

¡Maldición!
Ayer rastré avellanas.
«¿Hallaste?»
¡Puaf!: zafiros.
«¿*Una,* siquiera?»
No.

XXXV

Despertar:
terso error.

XXXVI

«¡Ergosúm!» Un habitante
de otro planeta
pregona, en la rambla, vida
por aquí lejos,
con saludos de mi parte.

XXXVII

¡Aplauso de mi ser!
Yo: el sultán, los eunucos, el harén.

XXXVIII

Con pringue gracia me acuno:
me ensalmuero:
«Vales, cena de harto ayuno:
escala del nueve al uno.
¿Travesaño, el alma? Cero.»

Vil: dolor.
Medio tranco
– vagido agonizador –
y pisotear el barranco.

Con la abeja
lucha la miel y se queja.
«Mi bulimia de alegría:
pan fresco que no se enfría.»

XXXIX

Señor:
algo, sin algo,
te decapitará.

¿Falso todo? ¡Aleluya!

... ¡Aleluya!

NOJANUCÁ

(Abedul sin raíz.)
– Te percibí:
me percibí, Nahúm.
– David,
soy tú.

–¿Y lo serás, Nahúm?
– Utópico, David.
(Raíz
sin
abedul.)

SORTILEGIO

1951

¡Conquisto fin!:
mis glorias
me lo indican.
Perfecta exactitud:
libre de absurdos.
¿No habrá sarros futuros?

¿Viene
quién? Ella.
¿Para qué?
¿Dejadez?
De seguro me trae
fresco fanal
en cada horquilla.
La conozco:
sin ayer,
ni mañana.
¿Ni nunca?
Tú,
mi preferida,
pero en distantísimo tiempo.

Deliciosas preguntas . . .
Usabas un misterio por sombrero.
¿Lo recuerdas?
Te lo ponías desde aquella muerte.
Con qué gusto
nos dejamos caer
de tanta altura,
sorbiendo abismos.
Aunque fatalidad, sobraba espacio.

Añiles bruces,
trizas níveas y rojas:
las de nuestros vasallos:
aves sin alas:
sinembargo, del cielo.

Hemos logrado verte:
cruzas esquinas,
vas frente a la casa
de enemigos.
A un paso de nosotros.
Nos estiras las manos.
Nos las das.
Las estrechamos
y les pertenecemos.

Telón,
pues los espectadores
se han marchado.
¿Pretendes no entenderme?
¿Cuál la causa?

Deseo.
Lecho inmenso
para orgasmos
de un dios sin Dios:
sudario
de duraznos
y paltos,
de abigarradas nueces,
de osamenta perdida.

No mueras
todavía.
Muérdeme el tercer labio.
Mira mi vientre abierto:
sólo espuma de un ángel
– ansiedad de otros ángeles
llamándole –.

¿Y tú? En el territorio
de una estrella
que no podrá nacer
por culpa nuestra.

Ah, cuánta semilla derramamos
inútilmente:
trampa:
nupcial delirio.

Provocamos pavor.
¿Qué podemos hacer?
¿Dónde la desembocadura
del silencio?
Se acurruca en alardes
forzosos: la gimnasia
de un ensueño perfecto.

Entrégateme.
Mis cejas te acompañan:
océano
de pilas.
Córtame las venas:
te han cosquillado siglos

antes de conocerte.
Trasfórmalas en cemento:
gajos intensos.

Abúndame
con jrein de blanderías:
ya tus ropas, teñidas
por el rocío de infinitas noches,
esperaban a *otro.*
Resplandor acre,
sosiégate.

Y el escombro:
«Volver,
pero sin ir.»

HOMENAJES

1990 - 2001

VÁSQUEZ LÓPEZ

En el erial
– poblado
de brumosos corimbos –

has, transitorio Hernán,
logrado
la voluntad

de *un* níspero.

DEVOCIÓN

a Jon Douglas Lindjord

¡Obedientes reliquias!
Con opuestos colores
creas, coleccionista,
desórdenes en orden.

NOAILLES

¿Un lirio de relámpagos? ¿Un dátil
de sed?
¡Oh, sí, condesa:
pase usted!
Qué gentileza
la suya: ¡haber venido
a mi salón prohibido,
ahora! Aguarde, pues,
a que la limpie de su perlachés.
No se merece, juvenilversátil
Ana,
que la vean así por la mañana.

CUMBRES

1989 - 2001

ARMISTICIO

¿Gruñido?

PARUSÍA

Permanezco
sobre las aguas del atardecer,
sí, sobre las aguas
del atardecer.

Tú, que no crees,
me desprecias
con tus excelsas
mandíbulas
desdentadas.

Y la brisa,
que no nos advierte
(ni nos advertirá), celebra nuestros
cabellos
en el navío del atardecer.

ONTOGENIA

Santo, para la crema, el chocolate.
Malvada, para ti, mi fantasía.
Verde, para el profeta, lo granate.
Y oscura, para mí, la luz del día.

LA FRONTERA

De súbito, el cartel:
CASA DE DIOS.
Entré.
Deslumbradores ébanos.
Evité dos sillones y tres fundas.
Me detuve ante el arco de un mesón.
– ¿Puedo hablar con el dueño?
– ¡Cómo no!
Me llamaron: – ¡Te buscan!
– ¡Allá voy!

ÍNDICE

CUADERNO

ANUNCIACIÓN

REFUGIO

LIMPIEZA

AL REY, SU TRONO

BET

NOJANUCÁ

SORTILEGIO

Colección Entremares

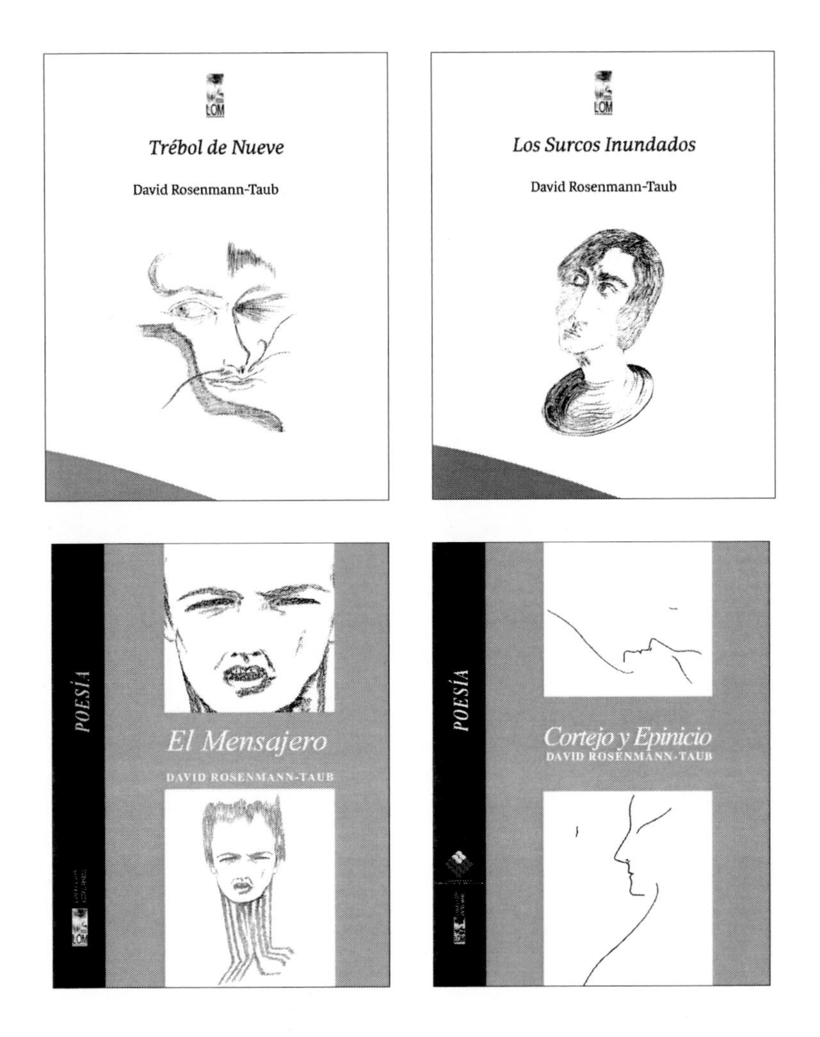

ESTE LIBRO HA SIDO POSIBLE POR EL TRABAJO DE

COMITÉ EDITORIAL Silvia Aguilera, Mario Garcés, Ramón Díaz Eterovic, Tomás Moulian, Naín Nómez, Jorge Guzmán, Julio Pinto, Paulo Slachevsky, José Leandro Urbina, Verónica Zondek, Ximena Valdés, Santiago Santa Cruz, María Emilia Tijoux **SECRETARIA EDITORIAL** Marcela Vergara **EDICIÓN** Braulio Olavarría, Héctor Hidalgo **PRODUCCIÓN EDITORIAL** Guillermo Bustamante **PRENSA** Tania Toledo, Isabel Machado **PROYECTOS** Ignacio Aguilera **DISEÑO Y DIAGRAMACIÓN EDITORIAL** Leonardo Flores, Max Salinas, Gabriela Ávalos **CORRECCIÓN DE PRUEBAS** Raúl Cáceres **COMUNIDAD DE LECTORES** Francisco Miranda **VENTAS** Elba Blamey, Olga Herrera, Daniela Núñez **BODEGA** Francisco Cerda, Hugo Jiménez, Maikot Calderón, Lionel Díaz, Juan Huenuman, Viviana Santander **LIBRERÍAS** Nora Carreño, Gladys Bustos, Ernesto Córdova **COMERCIAL GRÁFICA LOM** Juan Aguilera, Elizardo Aguilera, Danilo Ramírez, Eduardo Yáñez, Camila Morales, Ernesto Guzmán **SERVICIO AL CLIENTE** José Lizana, Ingrid Rivas **DISEÑO Y DIAGRAMACIÓN COMPUTACIONAL** Luis Ugalde, Pablo Barraza **PRODUCCIÓN IMPRENTA** Carlos Aguilera, Gabriel Muñoz **SECRETARIA IMPRENTA** Jasmín Alfaro **PREPRENSA** Daniel Alfaro **IMPRESIÓN DIGITAL** William Tobar **IMPRESIÓN OFFSET** Rodrigo Véliz **ENCUADERNACIÓN** Rosa Abarca, Andrés Rivera, Edith Zapata, Pedro Villagra, Romina Salamanca, Fernanda Acuña, Iván Peralta, Angie Alvarado **MENSAJERÍA** Cristóbal Ferrada **MANTENCIÓN** Jaime Arel **ADMINISTRACIÓN** Mirtha Ávila, Alejandra Bustos, César Delgado, Matías Muñoz.

LOM EDICIONES